U0026250

承九歌

御我 著

從小，他便夜夜夢見那個不曾存在的年代，金碧輝煌的宮殿，滿天飛舞的玄女，身著金銅鎧甲的將士守衛著巨大的城門，一切看起來如此華美炫爛，把真實世界都襯得無聊了起來。

入了城門，滿地是翠綠的草，白色的點點羽絨飄在其中，霧氣若有似無，迷迷濛濛。

羽衣玄女們四處穿梭，採花摘果，不少人都會朝他看過來，隨後微微躬身，像是在行禮，每每都讓他感到很驚奇。

他到處走動，每次夢境到達的地方都不同，看見的人事也大相逕庭，有時是仙女們，偶爾則是將士們。

夢境的最後卻總是相同的一幕，一名穿著玄色服裝的人領著其他人，站在他的面前，眼神哀傷，問了一句話。

年幼的他卻不懂那是什麼意思，只會抬頭呆呆地看著對方，那人等不到答案，嘆了口氣，夢便醒了。

夢中充滿各式各樣令人驚奇的事情，年幼的孩子以為自己是夢見古時候的事情，直到大人告訴他，不管是現在或過去，人都不會飛，不可能有滿天飛舞的仙女，那些只是神話故事而已，人好一些的會拿幾本神話給他看，個性惡劣一些的，直接恥笑一聲「傻孩子，都幾歲了還信這個」。

夢境還是小事，大人聽了也只會說是做惡夢，不會太在意，但他卻不只有夢見，更在清醒時分看過旁人口中的「幻想」，再天馬行空的東西出現在電視上，那都沒有問題，但他若是說書櫃裡有好多小小人在吃書，立刻就會被罵個狗血淋頭。

但他明明就看見了。

「太一！」

太一收回目光，回頭一看，堂兄弟們正跑過來，一個個玩得渾身是泥土，看起來就是一群愛玩的熊孩子，但太一其實不討厭他們，比起大人，這些孩子還比較相信他說的話。

「你在看什麼啊？」

傅太一沒有回應，隨便找了個藉口，「我在發呆而已。」

他們看起來並不相信，很是好奇，但傅太一不願再說，上一次，不知是誰把他說的話回去轉達家長，讓他挨了好大一頓罵。

「發什麼呆，我們去撈蝌蚪吧？」

傅太一對蝌蚪沒什麼興趣，溪裡面的其他東西比蝌蚪有趣得多，但也危險多了。

去年夏天，他們也是一群孩子在溪邊玩耍，因為是從小就玩熟的鄉下，大人們也沒有制止。

當時，傅太一坐在溪邊，不怎麼樂意下水，水底的東西太多了，他沒辦法視若無睹，更不能一腳踩下去，他是真的會踩到那些東西的！

也幸虧他坐在河邊看著其他堂兄弟姐妹，這才看見一隻手從溪面伸出來，抓住堂弟的腳。原本傅太一還沒不怎麼在意，認為這一次也會抓空，畢竟「那些東西」就只有他看得見和摸得著，其他人是一點感覺都沒有。

但那一次卻不同，堂弟突然無聲無息地沉了下去，一大票孩子玩得正歡，根本沒有人注意到，若不是傅太一坐在溪邊視野好，又看見手抓住他，多觀察了幾眼，根本就不會發現這個堂弟不見了。

當時，傅太一嚇了一大跳，立刻衝上前，朝河面下一看，堂弟驚恐到極點，整張臉都扭曲變形，雙手拚命撲打，卻怎麼也浮不出水面。

傳太一連忙抓住他的手，卻感覺到有股力道一直往下扯，像是有人在水面下拚命拉。

「快來幫忙！」他大喊。

雖說孩子們嚇呆了，但有幾個年紀比較大的反應較快，立刻上前來幫忙拉人，但隨即發現同樣的問題，幾個孩子合力竟還拉不上來。

「是不是被水草纏住了？」眾人都慌了，全都是孩子，面對這狀況也不知該怎麼辦。

眼見堂弟都快翻白眼了，傳太一咬著牙，直接潛入水裡，還把一旁的孩子嚇得尖叫，想阻止卻已經來不及。

潛進水底後就看見堂弟的下半身被黑影纏住，傳太一抱住堂弟，猛力朝那黑影踹去，一腳兩腳都始終踹不開，反倒連他的腿都有黑影纏上來，眼見救不了人還要賠上自己的時候，上方突然傳來一道強悍的拉力，將兩人都揣出水面。

眾孩子們立刻七手八腳地把兩人拉到岸上，嚇得一群人面面相覷，不知該怎麼辦才好，幸好溺水的堂弟水性夠好，上岸就自己咳出水來，連人工呼吸都免了。

眾孩子們知道這次事情嚴重了，如果被大人知道，一定人人都能得一頓竹筍炒肉絲，於是，所有人決定當作沒這回事，集資買個冰棒給堂弟壓壓驚，隨後大夥當作沒這回事，打招呼預備各自回家。

離去前，傅太一轉頭看著樹下的人……或許不該說是人，只有他才能看見的東西，大概不能叫做人吧？

穿著玄色衣服的人，傅太一常常看見他，原本只在夢境中，但這一年卻連醒著都看得見對方。

「謝謝。」傅太一開口道謝，方才一脫離水面，他就看見對方站在旁邊，一隻手還抓著堂弟的肩膀，他便明白，是這人救了他們。

傅太一有些期待得到回應，雖然時常看見對方，但他說來說去都是那一句……

絕情斷義，承繼東皇，汝可願意？

重複再重複，這個人就只會說這句話。

傅太一搔了搔臉，他還以為情況會改變呢，結果還是一樣。

「東皇到底是什麼？」不同於幼小的時候，他現在大概可以理解這句話的意思，只是仍舊不明白「東皇」是什麼東西。

他以前也問過這個問題，但對方始終不會回應，這次大概也……

吾即東皇，吾即汝。

傅太一愣住了，這還是他第一次聽到對方說出不同的話來，雖然他聽不太懂。

「太一，你到底要不要去抓蝌蚪啊？」

從一年前的回憶中醒來，傅太一看著面前這群堂兄弟，有一股想要翻白眼的衝動，去年的教訓這麼快就風過水無痕了？

他沒好氣的警告：「抓什麼蝌蚪，不准靠近溪邊，難道你們都忘記去年的事情了嗎？你們要是敢過去，我立刻就去跟大人說！」

孩子們全都變了臉色，雖然覺得傅太一很掃興，但回想起去年的事情，他們卻自己先怕了，蝌蚪都變得沒有半點吸引力。

「好啦，你別去說，我們不去就是了。」

傅太一點了點頭，這群堂兄弟還是很不錯的，雖然皮了點，但卻肯聽勸。

「那我們現在去哪玩？」

傅太一想了一想，說：「想玩水的話，叫大人帶我們去游泳池玩，怎麼樣？」

一個堂哥嘟著嘴，說：「他們都在打牌，誰會理我們！」

「我去叫我爸媽帶。」

傅太一知道自家父母牌技之差，根本只是被逼著陪打，十場輸九場不是說假的，每次回老家來都痛苦不堪，比起打牌，他們應該會更想陪孩子們去游泳池。

孩子們一聽，全都樂了，立刻推著要他去找父母。

傅太一倒是挺樂意的，打從出了去年的事情後，他就不想自己看著這群堂兄弟了，不知為何，暑假總是特別容易出事，這個時期，好多「幻想」都能碰觸到人，尤其是年紀輕的孩子，非常奇怪。

原本他還不懂為什麼，但聽了多次「鬼月」、「鬼門開」的事情，隱隱約約地覺得或許就是這個原因吧？

總之，還是找大人來吧，他們就算是在這種時期，也不太會被「幻想」碰觸，不像孩子們容易碰上。

尤其現在又沒看見那名玄衣人，出事可沒人救援，傅太一不想冒險，雖然去年那種事情其實很少見。

眾孩子回到老家的四合院，那裡開了好幾桌，沿路走來，簡直家家戶戶都在打牌，沒有什麼大輸贏，親朋好友玩著樂樂。

「太一啊，你們怎麼回來啦？」

傅太一才走到門口，媽媽立刻從牌桌上跳起來，一個勁衝過來，滿滿的關切，簡直恨不得兒子來個頭疼腦熱，讓她可以用照顧孩子的名義解脫。

八成輸得超慘吧？傅太一有點同情母親，本想趁機敲詐父母一番，利用帶他們脫離賭桌的籌碼要脅個十本小說，這下子都不忍心了。

「我們想去游泳，媽妳……」說到一半，傅太一從另一桌收到爸爸傳來的求救眼神，只好補上：「爸、媽，你們可不可以帶我們去游泳池玩？」

「行！」爸媽異口同聲的說。

爸爸丟下這局輸掉的賭資，立刻站起身來，點頭贊同道：「天氣這麼熱，去玩水正好。」

雖然周圍的伯伯姑姑們打得正興起，不過看見孩子們渴望的目光，人數又這麼多，也不好意思全都扔給傅太一的父母帶去，乾脆收收牌，決定全部一起出發，玩水完還可以一起聚個餐，也算是個完美的家族聚會。

傅太一原本還有些擔心游泳池也會有怪東西，幸好，雖然還是有，但都是些小玩意兒，比起溪邊的「盛況」，這裡簡直不值一提了。

直到離開泳池，傅太一終於鬆了口氣，還被爸媽捏了臉頰一把，笑說「真是個小糾察隊」，誰讓他滿場看著堂兄弟姊妹，要是有誰潛個水，立刻就會被他抓起來罵一頓。

他也不願意這樣，但誰叫去年的事情太嚇人呢？傅太一有點悶，若是大人知道去年發生的溺水事件，別說當糾察隊，恐怕根本就不准他們來游泳了！

這時，堂弟突然走上前拉住他的手，堅定的表達支持：「堂哥是為我們好。」

「唷！你們的感情什麼時候變得這麼好了？」

眾大人笑得合不攏嘴，但也樂見這群孩子的感情好。

玄衣人站在餐廳的門口，不知是不是傅太一的錯覺，對方看起來似乎有點憂傷，但周圍都是人的狀況下，他也不好開口問對方。

絕情斷義……

是是是。這麼多年，傅太一聽得都不耐煩了，怎麼問對方都不會講別的，什麼都不說清楚，就只會問這一句，讓他該怎麼回應？

承繼東皇。

……嗯？後面不是還有一句嗎？傅太一遲遲沒等到最後一句，回頭望過去，玄衣人卻不見了。

反常的狀況讓人隱隱有種不安的感覺，但卻又不知到底是怎麼了，傅太一只能想著最近小心一點好了，而且要嚴重警告堂兄弟們不准靠近水邊！

但最終，他沒等到警告的時機，事情就發生了，而且和水一點關係都沒有。

接下來，好幾週的新聞報導頭條都是餐廳大火奪走數十條人命，建築物加蓋違建，逃生不易，消防安檢出了什麼漏洞？

那一天，傅太一從火裡走出來，失去一切，絕情斷義，成為東皇太一。

「如此完整的傳承，已經許久沒有出現過了。」

穿著玄色衣服的人這麼說，這話卻也是傅太一說的，他穿上玄色衣服，成了「那個人」。

絕情斷義，承繼東皇。聽這句話這麼多年，如今，傅太一總算是懂了，幸虧他謹慎，因不懂就遲遲沒有應下這句話，這才留了父母幾年，但終究在劫難逃。

回望火場，十四、五歲的孩子，眼中流露出千年的哀傷，一如以往在玄衣人眼中看見的憂愁。

垂下兩行淚，為了逝去的親情義理，默默靜立，弔唁傅太一過往的人生。

「我的天，這裡有個孩子！」

傅太一收回眼神，看著許多人難以置信地看著自己，他索性直接閉眼倒地，省去扮演驚慌小孩的麻煩，再者，他也真是累了也傷了，剛剛得回東皇的傳承就面臨火場逃生的難題，他實在不可能毫髮無傷。

「快送他去醫院！」

「聽說了嗎?他家的人好像全數罹難了，連親戚都沒了，整個家族就剩下他一個。」

「哎唷，真是可憐……」

接下來的日子，傅太一躺在醫院當中，許多人來來去去，學校的老師和同學，其餘就是不熟識的遠親，畢竟那場大火一口氣帶走太多人。

傅太一悶了很長一段時間，任憑旁人怎麼問，他都懶得開口，反正精神科醫生幫他下好一堆診斷書，總而言之就是嚇傻了。

絕情斷義，哪那麼容易呢？

就算有滿腦子千年傳承的記憶，但如今早已不是那個輝煌的年代，傅太一就算頂著東皇的頭銜，外表仍舊是一個國中生，接下來該怎麼過活，他還是有點沒底的。

雖然這個家族在劫難逃，也是因為如此，傳承才會挑中了他，但為什麼就不能再晚一些呢？傅太一皺緊眉頭，只要有個十八歲，事情就好辦了，家裡有房子也還有些錢，自己住不是問題，但現在他若是不想去跟某個遠親住，恐怕就只能去孤兒院了。

苦惱多日，傷勢好得七七八八，再不開口說話，恐怕要被送精神病院了，傅太一無奈地只能開口解釋他沒事，只是記不清事發經過，這才讓精神科醫師心滿意足地走了，還說社工會來安排他的去處，讓他不用擔心。

偏偏這正是傅太一最擔心的事情。

到底是乖乖去孤兒院等滿十八呢，還是要選擇住遠親家？兩種恐怕都不能讓他近期內可以自由地到處趴趴走。

更何況，就算他覺得孤兒院的選擇好一些，一滿十八歲就可以毫無顧慮地離開，但遠親們恐怕也不見得會想放手，尤其還牽扯到巨額保險金。

就算成了東皇，傅太一可不會視金錢如糞土，接下來還得四處去把九歌的同伴都找回來，這路費總不能用冥紙變吧？既沒道德又太容易穿幫了。

苦惱之餘，救護車送進一個新的選擇。

傅太一幾乎是從病床上彈起來的，他直奔急診室外頭，但苦尋不到進去的機會，直到對方被送進加護病房，幾度發了病危通知，他才一咬牙，用著還不熟練的能力偷偷潛了進去。

一個傷患躺在病床上，渾身纏滿繃帶，腳上還打著石膏，幾乎體無完膚，狀態慘不忍睹，看著是十分疼痛的，但那雙眼睛卻仍舊清明淨亮，他望著傅太一，眼神有些驚異，似乎不懂怎麼會有個孩子待在這裡。

傅太一站在病床邊，低頭看著對方，心口滿滿的疼，已預見他的同伴個個都是種種慘狀。

「沒事，肉體困不住你的。」他安慰道。

聞言，對方的眼神很柔和，甚至帶著感激的笑意，看得傅太一簡直無言了，都成這副德性了，還不忘感激世界嗎？這傢伙肯定是個好人卡拿不完的傢伙！

「我是說真的，不是在安慰你！」

傅太一喊完，周圍的空氣卻出現崩裂的詭異狀況，他的臉一白，心知這個小小的界就快撐不住了，不能再拖延，只得立刻現出真身來。

床上的人瞪大雙目，看見一名身著華美的玄衣人站在床邊，傾身向前，用悠遠的聲音詢問。

斷情絕義，承繼司命，汝可願意？

於是，傅太一尋到第一個同伴，兩人用著還不熟練的能力，扮演著遠親和孩子，用保險金開了一間小書店，名為九歌。

期盼著，九歌書店裡真的湊齊了九歌。

劍名

御我 著

眾所皆知，器妖可說是悲劇的替代詞，他們全都是在一些可怕的執著下誕生，哪怕開頭再怎麼溫馨感人，最終也只會走到悲劇這個結局上。

林易偏偏不信邪，他有一把劍，是實實在在的器妖，從師父的手上繼承而來，劍在他師徒倆手上算一算至今都有數十年，也沒見發生什麼事，甚至於，沒有這把劍，師徒倆早死得骨頭都能打鼓了。

「我的師父好端端活到壽終正寢呢！」

每次收到不要把器妖長久留在身邊的忠告，林易每每舉出這個例子，對方都啞口無言，只能無奈的說：「好吧，反正你也是道上人，就算器妖反噬，你也有辦法應付，只是記得到時要讓他徹底消亡。」

林易最不願聽到這話，哼哼，他家的劍可不是旁的沒良心器妖，才不會反噬呢！

從小，他讓師父撿到的時候，師父的腰間就掛著這把劍，剛開始，他還以為那老傢伙是個神經病，居然會對著一柄劍說話，但等到師父帶著他踏入裡世界後，他才明白，無知是幸福的，知道太多就成瘋子了。

那時，他就開始聽見劍的聲音，剛開始只是細細碎碎的絮語，還聽不清到底在說些什麼，但沒有多久，就清楚像是一個人在他耳邊說話了。

師父說林易很有資質，天生就是裡世界的人，若不是被他撞見帶走，遲早被某個惡質道上人抓走當魁儡利用。

林易覺得，就某方面來說，他是被師父抓走的沒有錯，更進一步說，他先被逼著當無薪的道上人實習生，後面成了低薪的道上人正職生，這還不算利用嗎？師父你倒是說啊！

現在師父倒是沒了，酬勞不用上繳，全都收自己口袋，也比旁人坐辦公室來得高薪，但不時得搏命演出，也是辛苦錢啊……

易。

「怎麼？」林易瞥了手邊的樂器盒一眼。

時代不同了，帶著劍趴趴走是會被抓進局裡泡茶的，林易迫不得已，只能把劍裝到樂器盒裡，這盒子長得能裝進一把劍，而且還不會引起旁人的注意，很是不錯，唯一的缺點是劍不喜歡待在裡面。

易，我有靈魂嗎？

林易差點摔了一跤，把整個樂器盒扔進旁邊的河裡，連忙抱緊站穩腳步。

「說什麼亂七八糟的東西，跟著我這麼久，幻妖器妖什麼的看得還不夠多嗎？靈魂那種東西到底存不存在，連道上人都說不明白，別說你了，我都不知道自己有沒有靈魂這玩意兒，更不用說你了。」

林易覺得與其要他殘忍地否決劍沒有靈魂，乾脆說他自己也沒有好了。

是嗎？沒有靈魂這種東西嗎？可是你之前看的書裡都說有鬼魂。

林易暗暗抹了把汗，下次絕對不帶著阿劍亂看書，柳齋誌異什麼的，果斷列為禁書！

「那都是故事書，十之八九不能當真的。」

雖然師父說過聊齋的故事恐怕十之八九並非虛構……

是嗎？易，你幫我取個名字好嗎？

突然收到這個要求，林易一怔，反問：「師父和我一直都叫你阿劍，這就是你的名字了。」

劍不是名字，這世上有很多劍，他們都不是我。

真是越來越有靈性了。林易覺得頗高興，他現在窮得只剩下錢和阿劍，對方越像個人，他就越是高興，彷彿真的有個從小陪伴到大的同伴在身邊，他們兩人一直都是並肩作戰，自己並不孤獨。

林易甚至忍不住想像過，如果阿劍是個真人，會是什麼模樣？由聲音聽起來，阿劍肯定是個男的，雖然劍頗有年份了，不過就器妖來說，上百年的還真不算老，阿劍頂多是個二十來歲的外表吧？

嘿嘿，他們兩個人看起來會不會像兄弟一樣？

易，你願意幫我取名字嗎？

「不如你自己取吧？喜歡叫什麼就叫什麼。」林易覺得自己取名的功力可能不如一把劍，還是別害自己的劍了。

別人都是父母給小孩取名。

林易翻了個大白眼，沒好氣的說：「我也不是你父母，你還比我老得多呢，你怎麼不趁師父還在的時候，讓他給你取？」

他不肯。

林易一滯，嚇出一身冷汗來。

差點忘了，姓名是有效力的，一旦取了名，便踏入喚名的道路，而他每次呼喚對方的名字，就是幫對方在這條道路上前進。

更何況，阿劍本就是把有年頭的古劍，而且還跟著他們師徒倆斬妖除魔這麼多年，這把劍不是普通的器妖，算起來恐怕是個大妖了！絕對不能給他取名字。

「我不能幫你取名。」

林易覺得最多只能退到讓阿劍自己取名，不能由他來取，父母給新生兒取名是種不輸給任何符咒或者界的強大力量，帶著期盼與深深的愛，給予孩子邁入這世界的第一步。

可以說，「喚名」就是從這個取名步驟演變而來，強大到甚至能讓一個妖物成真，林易不能答應，否則師父可能會從墳墓跳出來打爆他的腦袋。

易，我想要你取的名字。

「你知道不可以！」林易有些不耐的低喊：「師父都不肯答應你的事情，你知道我也不能答應！」

劍沉默了，這讓林易覺得心裡很不舒服，好像剛剛殘忍反駁自己的親兄弟，而對方只是想要他取名，這本該是種榮幸才對，但他卻不得不斥喝對方，好像想要個名字是罪大惡極的事情。

此那天開始，阿劍安靜了很長一段時間，林易覺得自己和一把劍在冷戰，真是說不出的詭異。

劍不跟他說話了，怎麼辦？

估計這問題拿去問誰，都會被當作神經病來著，劍不說話才是正常的吧！但林易真為了這個問題急得都快哭出來了，整天哄著自己的劍，甚至冒著被抓去牢裡的危險，直接把劍揹在背後到處溜搭。

「啊啊劍不理我，我好無聊啊！」

……

「阿劍，我從小聽你說話說到大，突然聽不見你的聲音，我覺得渾身不對勁，耳朵好像聾了似的，整個世界都黑白啦！阿劍求你說句話了！」

……給我取名。

果然如此。林易抹了把臉，覺得自己在鬼打牆，不斷重複同樣的話，「你知道不行，最多讓你自己取。」

我想要你取的名字，你不給我取名字，以後我再也不跟你說話了。

聞言，林易也怒了，他又何嘗不想給阿劍一個名字，但師父再三告誡過，不能讓妖物成真，否則整個世界會亂了套。

雖說，喚名成真不是那麼簡單的事情，但林易不敢賭，阿劍實在不是普通的器妖，他若成了真，會是怎麼樣的恐怖玩意兒，簡直想都不敢想！

如果能夠保證阿劍只會成為一個正常人，林易絕對立刻幫他取名，而且天天喚名喚到他成真為止！

只可惜，林易知道這是不可能的事情。

「你威脅我也沒用。」

這一次，他們冷戰得更久，虧得林易已是道上人許久，就算沒有劍的幫助，倒也不至於無法上工，只是難度高的任務需要再三猶豫，真的不行，逃跑為上而已，其實也不是太艱難……才怪！

林易早就習慣用劍來抗敵，這下子，劍真成了劍……好吧，這話是有些怪，但阿劍身為器妖，他可不是區區一把劍，再削鐵如泥的劍都比不上阿劍，畢竟妖物並不是那麼害怕純粹的利器，他們怕的更多是阿劍這個器妖。

現在只能靠符咒和赤手空拳來解決案子，偏偏林易可不是法術型的道上人，他可是身手派的，師父說過他是個天生的打手，符咒就學個基礎吧，反正他對符咒的天分之低，就和他的戰鬥天分之高，正好成反比。

「請救救我家女兒！」

某天，婦人找上門來，哭得連話都說不出來，更別提把情況說完整。

但這情況也不奇怪，有許多案子，委託人根本說不出個所以然，只能親眼去看看，所以這一次，林易也這麼做了。

看著眼前被綁得床上卻還在嘶吼的女孩，林易皺緊眉頭，居然是附身，而且聽她嘴裡嚷嚷的不知名語言，多半還是國外體系的妖物。

這可不是他擅長的類型，首先是不能用拳腳解決，二來是需要強烈的信仰，這兩樣他都缺，雖然是道家出身，但林易實在不能說自己很虔誠。

這個案子太過不合他的調性，也不知道這婦人怎麼找上來的，介紹人簡直亂來……呃，是說人家也不知道他正和自家的劍在冷戰。

這麼難纏的東西，台灣能夠解決的人也不多，他們師徒帶著一把器妖劍，名氣倒是不小，各種疑難雜症都曾被介紹過來，害得師徒倆死裡逃生不知幾次。

林易忍不住看了背後的劍一眼，若是阿劍肯配合，或許還有解決的可能性，妖物總是懼怕更強大的妖物，且這法則是國內外通用！

阿劍從以前斬到現在的妖物數量不知凡幾，血氣之重，幾乎妖見妖怕。

但如今……

「我沒辦法解決。」林易只能搖頭說：「你另找人吧。」

看這女孩的狀況，其實找神父驅魔合適些，但林易不敢這麼建議，因為台灣就沒聽過有真正的驅魔師，等等害人家遇上騙徒就不好了。

那名婦人卻跪了下來，磕頭磕個不停，「咚咚咚」地聽得林易的頭都疼了。

唉！

「妳起來吧，我試試就是了。」

無奈之餘，林易只能應下了，不然看這陣勢，說不定他等等得送人進急診室了。

「你們家信什麼教的？神廳在哪？帶我過去看看。」林易問道。

婦人愣了一下，連忙說：「一貫道，在頂樓。」

林易跟了上去，看看神廳的天花板都讓香燻黑了，這家子應該還算虔誠。

擇日不如撞日，現在又正是正午時分，就算沒能成功，也不至於會出大事，林易當機立斷，首先就淨手燒香，隨後把女孩綁在椅子扛上來。

結果，真出了大事。

林易沒想過，居然會在台灣遇見不同體系的王，這在外國叫做什麼……魔王？

整間頂樓宛如煉獄一般，被黑色的無形火焰團團包圍，女孩仍舊困在椅子上，但她大張著嘴，連嘴角都裂開來，大股黑煙從她嘴裡竄出來，籠罩住整個天花板，隱約形成一張巨大的人臉。

一旁，神桌上的神像從中裂了一條大縫，這裡的神明只是分靈，不是本尊，抗不住這麼高等的妖物。

偏偏又是無形的妖物，林易最不擅長對付的類型，整個神明廳成了界，他出不去，外頭也進不來，現在唯一慶幸的是剛剛堅持不讓女孩的父母在場，至少可以少掉兩條人命。

黑霧瀰漫到眼前，林易覺得自己死定了的時候，卻聽到一聲劍鳴，一把古劍從背後竄飛出去，直插在他的腳前，淡淡的身影浮現出來，擋住黑霧前進的腳步。

狀態。

林易愕然，那身影無比的熟悉，竟和自己一模一樣，唯有對方是半透明的

「阿劍？」

林易瞪大了眼，他想過千百遍，從未想過阿劍化出人型會是這個模樣，居然直接選擇他的外貌，他倆真成兄弟了，還是雙胞胎！

半透明的人影開了口。

易，幫我取名，我們再一起作戰，就像以前一樣。

如果不取呢？林易努力壓下差點脫口的問題，現在他和女孩的希望都在阿劍身上了，他不能和對方翻臉，心中卻有股說不出的火氣，媽的，這兄弟是在威脅他嗎？

「你就這麼想要名字嗎？為什麼？」

我想要成真，有名字，我就可以成真了！

林易苦笑，幾乎每個器妖都有這樣的執念，想不到連阿劍也不例外，只是他隱藏得很好，不敢讓師父發現，直到師父去了，劍落到自己的手上，他知道自己是個心軟的傢伙，這才漸漸嶄露出異樣來。

難怪，林易總覺得打從師父去了以後，阿劍比以往鮮活許多，冷戰這種事情擺在師父那時候，阿劍是絕對不會做的，要真做了，師父會直接出手滅了他，哪怕阿劍再怎麼有用都一樣。

想到這，林易突然感覺有些害怕，還好阿劍懂得隱藏，否則真的會被師父滅了。

易，我想成真，我不會害你的，等我成真的人，我們就可以真的並肩作戰了！

林易一愣，這正是他曾經遺憾過的事情，難道，是他影響到阿劍了嗎？他忍不住嘆了口氣，遺憾的說：「阿劍，就算你真的能成真，那也不會是個人，你看不見自己的身影，但我可以。」

就算對面的透明影子和自己有相同的容貌，卻有著說不出的邪魅，就是一般人看見了，都會感覺非常不舒服，一眼就會覺得這人不對勁，直覺就會避開。

沾染著無數妖血甚至人血的劍，半身已入魔，如何能成人？

就算成了真，也那是個魔，林易不能讓一隻魔在自己手上誕生，以阿劍的能耐，他若成了魔，必是一場腥風血雨！

「你會入魔，阿劍，絕不可能成人！」林易殘忍的宣告。

半透明身影靜靜立著，似乎並不意外。

林易察覺不對，後方的黑霧竟漸漸侵入半透明身影之中，漸漸將他染黑……

「阿劍不要！」林易驚駭的高喊：「不要讓魔有機可趁！」

這話卻已太遲了，人影成了黑影，又化為黑色霧氣，先是圍繞在劍旁，隨後漸漸被劍吸收進去。

「阿劍……」林易的心都冷了，沒想到阿劍竟選擇讓魔入侵，直接便成了魔，就因為不能成人嗎？

器妖終究是器妖嗎？

古劍染成墨黑，憑空飛起，劍嘯震天。

光是這聲嘯就讓林易的臉一白，險些站立不穩，他知道自己根本抵擋不了，一個魔王便能讓他束手無策，現在又加上劍，這甚至不如讓魔王繼續附身在女孩身上！

若是讓魔劍出了這裡，還不知道要死上多少條人命才算完！

用命拚也得阻止魔劍，就算只能重傷他也好，這裡的魔氣這麼強盛，總會有其他道上人察覺不對，這能夠給他們爭取一些時間。

魔劍凌空揮下，林易正打算以命相搏時，劍卻自己停住劈勢，還微微顫抖。

易，殺、殺我，用師父的……

林易的雙瞳一縮，這才想起來，師父對劍下了強力禁制，哪怕劍再怎麼強悍，卻仍牢牢掌控在他們師徒的手中。

「阿劍你是故意讓魔入侵的？」林易脫口而出。

讓魔王入侵劍體，然後再催動師父下的禁制，或許，這法子真能滅魔王？以往遇上這種東西，若是花少許人命能夠趕走，這就算最好的結果了，想滅魔王簡直是作夢。

易，快點，我快不能制住他了！

林易沒有時間可以猶豫耽擱，只能開始念起此生都不願念的咒文。

劍顫抖得厲害，黑霧開始外洩四溢，瘋狂地想要逃走，但有另一股力量拉住他不放，下一秒鐘，純白的火焰吞噬劍身，劍鳴慘烈。

林易的眼淚奪眶而出，卻不能停下念咒，看著兄弟被烈火焚身，劍身逐漸崩裂融化，不斷慘鳴，但突然間，在尖銳的劍鳴中，林易聽見熟悉的喊聲。

易、易！他……

劍疼得說不出後半部的話，但林易已懂了，那些黑霧似乎決定犧牲絕大部分也要逃，有一部分直接竄出劍身，僅剩少許藕斷絲連。

「阿劍！」見狀，林易再不猶豫，大叫：「你的名字——不，我們的名字是『剔』。」

我們的名字是……

剔？

「我是易，你是劍，我們便叫『剔』吧。」

林易微微一笑，隨後，整個人衝進火中，扯住魔王，緊抱住劍，同被火焚。

如果真有靈魂，我便與你分享，

如果你想當人，那我就做你的劍。

好嗎？阿劍……不！

剔。

幻虛真

幻虛真

幻虛真

幻虛真

幻虚真

幻虛真

幻虛真

幻虛真

幻虚真

幻虛真

幻虛真

幻虚真

幻虛真

幻虛真

幻虛真

幻虛真